Ha sido una experiencia maravillosa compartir con Doris muchas cosas en Ecuador, toda la familia se ha esmerado porque su estadía haya sido muy cómoda y placentera. ¡Ann, le felicito tiene una hija estupenda! la vamos a extrañar, esperamos poder tenerla otra vez en Ecuador, ya que faltó mucho por conocer.

¡Gracias Doris por ser una chica maravillosa! y gracias por recibir a Heidy en su hogar.

Para: La familia de Doris

Un recuerdo de nuestro ¡Ecuador maravilloso! esperamos su visita, estaremos gustosos de recibirles, y puedan conocer nuestro País.

De: Familia Noreña Zumárraga
(Jorge, Geomar, Mafer y Heidy)
25. Julio 2011

A mis padres niños y a mis hijos hombres, compañeros de cada etapa de mi existencia; a mis amigos queridos y... a todos quienes están en este círculo de vida.

For my young hearted parents and my grownup children, my companions in every stage of my life; for my dear friends and… for everyone who is in this life circle.

Für meine jung gebliebenen Eltern und meine schon erwachsenen Söhne, meine Begleiter in jeder Phase meines Lebens, für meine geliebten Freunde und für alle, die meinen Lebenskreis bedeuten.

PH

Presentación

Toda persona que ha tenido la oportunidad de viajar a través de nuestro Ecuador siempre ha disfrutado de gratas vivencias al recorrerlo; sobre todo, porque éste es un país pequeño en el que, increíblemente, las cuatro regiones naturales: Costa, Sierra, Amazonia e Insular se acomodan de tal manera que caben en él, en apenas 252.370 km².

La Sierra luce esplendorosa sus hermosas montañas, campos silvestres y cultivados que, en complicidad con el sol, parecen tapices tejidos a mano; sus pueblos y sus grandes ciudades se hallan tendidas sobre valles irregulares; su clima es diverso puesto que va, en un mismo día, desde sol radiante intenso a lluvia fuerte y hasta tormentas de granizo y nieve; su gente es amable y caótica.

La Costa se engalana con sus hermosas playas, ríos y parajes, sus grandes extensiones de cultivos de arroz, plátano y cacao, sus prósperas ciudades y puertos; su gente es alegre y emprendedora.

La Amazonia, territorio de exuberancia sin igual, encierra todo tipo de plantas, insectos, aves y animales salvajes; de su tierra emerge el petróleo que es la base de nuestra economía, y habitan pueblos que tratan de convivir en armonía con la naturaleza.

La Insular, islas de origen volcánico, posee un fabuloso ecosistema, sumamente sensible y delicado; constituye el hogar de especies de animales únicos en el mundo; sus costas son encantadoras.

La fusión de las características de estas cuatro regiones hacen del Ecuador un lugar paradisíaco donde vivir es una singular aventura.

En este libro haremos un pequeño tour fotográfico de lo que he conocido, viajado y vivido en los distintos paseos de aventura y camping a bordo de nuestro fiel Niva, contando con nuestra incondicional casa plegable y acompañado siempre de mis hijos y de algunos amigos, ocasionalmente.

Estas hermosas experiencias de vida han ido fortaleciendo mi amor por mi querido Ecuador.

Introduction

Everyone who has had the opportunity to travel across Ecuador has always enjoyed pleasant experiences during the journey; above all, because it is incredible, but this small country benefit from four natural regions: the Coast, the Highland Andes, the Amazon, and the Galapagos islands, which fit in an area of just 252.370 km².

The Highlands shine shows its beautiful mountains and wild and rich fields. These fields, in complicity with the sun, appear like tapestries knitted by hand. Towns and big cities are found spread across irregular valleys; the climate varies from an intense bright sun, strong rain to even storms of hail and snow can all arrive at the same day; the Andean people are kind and chaotic.

The Coast is decorated with beautiful beaches, rivers and interesting places, large rice fields, banana and cocoa cultivations, and growing cities and ports; its people are cheerful and venturesome.

The Amazon, a territory with uncomparable exuberance, contains many types of plants, insects, birds and wild animals. Petroleum emerges from the earth, and it is our basic economic resource. This industry populates towns and its people try to cohabit in harmony with nature.

The Galapagos islands is a group of islands of volcanic origin; is has a fabulous ecosystem, which is extremely sensitive and delicate; it provides of home to species of animals that are unique in the world. Their coasts are full of charm.

This four regions mixed together, makes of Ecuador a paradise where living is an adventure.

In this book we will make a small photographic tour of what I have visited, where I have traveled and lived in the different adventures, walks, and camping trips on board of our faithful jeep, with our useful portable tent. I have always been accompanied by my children and occasionally by friends.

These beautiful experiences of life have strengthened my love for my dearest Ecuador.

Einleitung

Jeder, der die Möglichkeit hatte durch unser Ecuador zu reisen, bringt schöne Erinnerungen mit. Unglaublicherweise hat dieses kleine Land auf einer Fläche von nur 252.370 km² vier sehr unterschiedliche Regionen: die Küste, das Hochland, das Amazonasquellland und die Inselwelt.

Das Hochland schmückt sich mit seinen herrlichen Bergen, mit weiten naturbelassenen Landstrecken und intensiv bebauten Feldern, die im Licht der als Komplizin wirkenden Sonne wie handgewebte Teppiche erscheinen; das Wetter kann am selben Tag von strahlender Sonne zu starkem Regen, ja sogar zu Hagelschauern und Schneefall wechseln. Die Menschen in den Anden sind freundlich und planlos.

Die Küstenregion präsentiert uns ihre wunderschönen Strände, Flüsse und Landschaften, ausgedehnte Reis-, Bananen- und Kakaoplantagen sowie aufblühende Städte und Häfen. Die Menschen sind fröhlich und unternehmerisch.

Der Amazonasraum ist ein Gebiet von unvergleichlichem Überfluss. Er ist gekennzeichnet durch seine enorme Vielfalt von Pflanzen, Insekten, Vögeln und wilden Tieren. Aus dieser Erde quillt das Erdöl, die Grundlage unserer Volkswirtschaft. Die Menschen dort versuchen in Harmonie mit der Natur zu leben.

Unsere Inselwelt, die vulkanischen Ursprungs ist, besitzt ein phantastisches Ökosystem, das sehr empfindlich, fast zerbrechlich ist. Es ist die Heimat von auf der Welt einzigartigen Tieren. Ihre Küstenformationen bezaubern jeden.

Die Fusion der Merkmale und Gegebenheiten dieser vier Regionen machen Ecuador zu einem paradiesischen Ort, wo das Leben ein besonderes Abenteuer darstellt.

Dieses Buch ist eine kleine fotografische Reise. Es erzählt meine Erlebnisse auf ausgedehnten Ausflügen am Bord meines treuen Geländewagens, eines Niva; es berichtet von meinem zuverlässigen faltbaren Haus, dem Zelt, und meinen Begleitern: meinen Söhnen, die ständig dabeiwaren, und meinen Freunden, die mich streckenweise begleiteten.

Ohne Zweifel: Diese schönen Lebenserfahrungen haben meine Liebe zu Ecuador gestärkt.

Atardecer en el Pich
Cruz Loma, vista ha
sur-oeste desde la Est
del Telef

The sun set in Pich
mountain, "Cruz Loma
Hill, view of the south
from the cable car st

Sonnenuntergar
Pichinchamassiv, "
Loma", Blick
Südwesten vo
Sei

Patricio Hidalgo Pérez

Las montañas

The Mountains / Die Berge

Comenzamos por Quito, nuestro primer destino, una vista panorámica de la capital de Ecuador al pie del Pichincha con sus picos Guagua, Padre Encantado y Ruco (izquierda).
El aeropuerto, en medio de la ciudad, está atrás de estos edificios de la Av. González Suárez (arriba).

Our first destination is Quito, a panoramic view of the capital of Ecuador at the foot of Mount Pichincha with its baby mountains, or peaks called "Guagua", "Padre Encantado" and "Ruco" (left).
The airport, in the middle of the city, is behind these buildings on González Suárez Avenue (above).

Unser erstes Ziel ist Quito, ein Panoramablick von der Hauptstadt Ecuadors am Fuße des Pichinchamassivs mit den Bergspitzen Guagua, Padre Encantado und Ruco (links).
Der Flughafen, in der Mitte der Stadt, befindet sich hinter den Gebäuden der Av. González Suárez (oben).

Quito fue fundada el 6 de Diciembre de 1534. El centro histórico, al pie del Panecillo, es uno de los más grandes y mejor conservados de Sudamérica, declarado Patrimonio Cultural de la Humanidad.

Quito was founded on December 6th, 1534. The Old Town, at the foot of the Panecillo (Little bread roll), is one of the biggest and best conserved in South America. This city was declared by UNESCO as a World heritage site.

Quito wurde am 6. Dezember 1534 gegründet. Das historische Zentrum, am Fuß des Panecillo, ist eines der größten und am besten erhaltenen von Südamerika. Es wurde von der UNESCO zum Kulturerbe der Menschheit erklärt.

Calle La Ronda, tan antigua como la ciudad, donde sus vecinos amigables comparten su espacio con todos los visitantes.

La Ronda Street, as old as the city, where its friendly neighbours share their space with many visitors.

Die Straße "La Ronda", so alt wie die Stadt, wo die freundlichen Bewohner ihren Platz mit den vielen Besuchern teilen.

San Francisco, el más impo-
nente monumento arquitec-
tónico quiteño.

San Francisco, Quito's most
magnificent architectural
monument.

San Francisco, das eindrucks-
vollste Baudenkmal von
Quito.

La fachada del templo de La Compañía es una de las maravillas del barroco y plateresco americanos.

The facade of La Compañía's Church is one of the marvellous examples of Baroque and American Plateresque architecture.

Die Fassade des Tempels „La Compañía" ist eines der wunderbaren Beispiele der einheimischen barocken Architektur und des amerikanischen Plateresk.

La iglesia de La Merced data del siglo XVI; por los terremotos que casi la destruyen, tuvo que ser modificada y reconstruida en el siglo XVIII.

La Merced Church dates from the 16th century. Due to the earthquakes that almost destroyed it, it had to be restaured and reconstructed in the 18th century.

Die Kirche" La Merced" aus dem sechzehnten Jahrhundert, die durch Erdbeben fast völlig zerstört und im 18. Jahrhundert, verändert, wieder aufgebaut wurde.

La Virgen del Panecillo y la Mitad del Mundo son los monumentos más visitados en la ciudad.

The Virgin of El Panecillo and the 'Middle of the World' are the most visited monuments in the city.

Die Jungfrau auf dem Panecillo und das Äquatordenkmal, Mitte der Erde genannt, sind die am meisten besuchten Sehenswürdigkeiten der Stadt.

En la siguiente página vemos al Panecillo, que está en el centro de Quito, escoltado por el Cotopaxi, Pasochoa y Rumiñahui que están a varios kilómetros al sur.

On the following page we see El Panecillo, which is in the center of Quito, escorted by Cotopaxi, Pasochoa and Rumiñahui, several kilometers to the south.

Auf der nächsten Seite sehen wir den Panecillo, der im Zentrum von Quito liegt, begleitet von den Bergen Cotopaxi, Pasochoa und Rumiñahui, die etliche Kilometer weiter südlich liegen.

Al alejarse de Quito, desde la ventana de un avión, se puede visualizar la topografía y colorido de nuestras montañas, y notar cómo la ciudad se extiende sobre esta irregular superficie.

When leaving Quito, from the window of an airplane, you can visualize the topography and coloring of our mountains and we can notice how the city stretches out on this irregular surface.

Beim Abheben des Fluzeuges in Quito lassen sich aus dem Fenster die Topographie und die Farbenvielfalt unserer Berge sehen. Wir können beobachten, wie sich die Stadt über eine unregelmäßige Oberfläche erstreckt.

A unas dos horas al sur de Quito, tomando la carretera Panamericana, está el Parque Nacional Cotopaxi, uno de los parques nacionales más visitados por sus atractivas lagunas, páramos, vida silvestre y montañas. El Rumiñahui con 4.712 m da origen a la laguna Limpiopungo, la cual alberga sobre todo gaviotas de páramo, patos y otras aves.

Two hours away from the south of Quito, taking the Pan-American Highway, is Cotopaxi National Park, one of the most visited national parks due to its attractive lakes, wilderness, and mountains. Rumiñahui, at 4,712 m. over sea level, is the mountain that gives origin to the Lake Limpiopungo, which shelters moor gulls, ducks and other birds.

Etwa zwei Stunden südlich von Quito, am Rande der Panamericana, liegt der Nationalpark Cotopaxi, meistbesucht wegen seiner attraktiven Seen, der Landschaft der Gebirgshänge, der Tierwelt und der Berge. Der Rumiñahui mit 4712 m speist die Lagune Limpiopungo, die vor allem Bergmöven, Enten und viele andere Vogelarten beherbergt.

Algunos pajaritos del parque se acercan curiosos, se puede disfrutar de ellos a pocos metros.

Some of the park's curious little birds come closer; one can enjoy them from only a few meters away.

Kleine Vögel aus dem Park nähern sich neugierig bis auf wenige Meter.

El Parque Nacional Cotopaxi tiene una extensión de 33.400 ha y ofrece varias opciones de ascensión a los andinistas. El Sincholahua, 4.898 m.

The Cotopaxi National Park occupies an area of 33,400 hectares and offers several climbing options to Andean mountain climbers. El Sincholahua, 4,898 meters.

Der Cotopaxi-Nationalpark umfasst eine Fläche von 33.400 Hektar und bietet Bergsteigern mehrere Aufstiegsmöglichkeiten. Hier der Sincholahua, 4898 m.

El Cotopaxi, considerado el volcán activo más alto del mundo, con sus 5.897 m es potencialmente uno de los volcanes más peligrosos como bellos de la tierra; en su última explosión en 1877 sepultó la ciudad de Latacunga. Hoy se encuentra monitoreado para minimizar las consecuencias de una posible erupción, es sin duda el mayor atractivo del parque. Cuenta con un refugio a 4.800 m que ofrece alojamiento para quienes quieren ascender a la cima o visitar sus glaciares que son de incomparable belleza, a pesar de haberse reducido en un 40% en los últimos 30 años. Además, existen varias áreas de camping y sitios de hospedaje, así como senderos para caminar y disfrutar de la flora y fauna de páramo.

Cotopaxi, with 5,897 m over sea level, is considered the highest active volcano in the world. It is as beautiful as dangerous; during its last explosion in 1877 it buried the city of Latacunga. Today it is monitored to minimize the consequences of a possible eruption; it is without doubt the biggest attraction in the park. Cotopaxi has a refuge at 4,800 m that offers lodging for those who want to climb to the summit or to visit its glaciers, which are of incomparable beauty, in spite that it has been reduced by 40% in the last 30 years. In addition, there are several camping sites and lodges, as well as paths for walking and enjoying the flora and fauna of the barren plateau.

Der Cotopaxi, der mit seinen 5.897 m als der höchste aktive Vulkan der Welt gilt, ist einer der schönsten und gefährlichsten Vulkane der Welt. Im Jahre 1877 ist ein Teil des Berges explodiert und begrub die Stadt

Latacunga. Heute wird sein Verhalten genau verfolgt, um die Folgen eines möglichen Ausbruchs zu mindern. Der Berg ist ohne Zweifel die Hauptattraktion des Parks. Ein Refugium auf 4.800 m bietet Unterkunft für diejenigen, die die Spitze erklimmen oder die Gletscher besuchen möchten. Die Gletscher sind von unvergleichlicher Schönheit, obwohl sie sich in den letzten 30 Jahren um 40% verkleinert haben. Darüber hinaus gibt es mehrere Campingplätze und Unterkünfte, sowie Wege, auf denen man die Flora und Fauna des Páramo erwandern und genießen kann.

¿Qué estás haciendo lobito?
—¡Aquííí, tomando una siestita!
Algunos lobos de páramo se han acostumbrado a las visitas y retozan cerca de los turistas, en espera de algo de comida.

What are you doing little wolf?
—"I'm just here, taking a nap!"
Some wolves of the wilderness have gotten used to visitors and they flirt close to the tourists waiting for some food.

„Was machst du da, kleiner Wolf?"
„Ich bin einfach hier und mache ein Nickerchen!"
Einige Páramowölfe haben sich an Besuche gewöhnt und liebäugeln mit Touristen in der Hoffnung auf einen Bissen.

Los atardeceres en la Sierra son tan variados como sorpresivos y bellos. El día se despide con esta silueta de Los Ilinizas 5.248 m.
En la página anterior, la pared de Yanasacha (roca negra), en el Cotopaxi, tiene una altura aproximada de 200 m.

The late afternoons in the Andes are as varied as they are surprising and beautiful. The day sets with this silhouette of Ilinizas, 5,248 m.
On the previous page, the wall of Yanasacha (black rock) in Cotopaxi Volcanoe, it is approximatly 200 meters height.

Die Sonnenuntergänge in den Anden sind ebenso abwechslungsreich wie überraschend und schön. Der Tag verabschiedet sich mit dieser Silhouette der Ilinizas, 5248 m.
Auf der vorangehenden Seite: die Bergwand Yanasacha, auch schwarzer Fels genannt, im Cotopaxi gelegen, hat eine Höhe von ungefähr 200 Metern.

El Paso de la Muerte es un angosto paso de roca rodeado de precipicios en el Ruco Pichincha; exige mucho cuidado el pasarlo.

El Paso de la Muerte (Death pass) is a narrow rock pass surrounded by the cliffs of Ruco Pichincha; to cross it requires a lot of care.

Der Paso de la Muerte (Korridor des Todes) ist eine schmale Passage am Ruco Pichincha, umgeben von Abgründen. Es bedarf großer Vorsicht, wenn man ihn durchwandern will.

A pocas horas de camino desde Quito o desde la Estación del Teleférico en Cruz Loma, está el Ruco Pichincha que es el pico más cercano a la capital.

A few hours walking from Quito or from the cable car station on Cruz Hill is Ruco Pichincha, the nearest peak to the capital.

Ein paar Stunden von Quito entfernt, oder von der Talstation in Cruz Loma, befindet sich der Ruco Pichincha, die Bergspitze, die der Hauptstadt am nächsten liegt.

La montaña hermosa, el día cálido y la compañía perfecta hacen de una excursión familiar una experiencia inolvidable. Cerro Puntas, 4.452 m.

The beautiful mountain, the warm day, the perfect company, all make a family trip an unforgettable experience. Cerro Puntas, 4,452 m.

Der schöne Berg, der warme Tag, die perfekte Gesellschaft, alles das macht einen Familienausflug zu einem unvergesslichen Erlebnis. Der Cerro Puntas, 4452 m.

En un día despejado de verano, desde la cima de Cruz Loma, podemos hacernos una idea del camino que se debe seguir hacia el Oriente ecuatoriano. Tomando la carretera que conduce a Cumbayá, Tumbaco, Pifo, Papallacta, Baeza, aproximadamente a una hora y media de Quito se llega a la zona conocida como los páramos de la Virgen, la entrada sur de la Reserva Cayambe Coca, a 4.100 m, es el punto más alto de una carretera ecuatoriana. Desde este punto tenemos una vista espectacular de casi todas las montañas de los Andes ecuatorianos, desde el Chimborazo al sur, hasta el Chiles al norte. En el trayecto podemos disfrutar de hermosas formaciones rocosas, bosques andinos, salpicados de lagunas de distintos tamaños y a diferentes niveles; además, como en todo páramo de los Andes es inmensa la variedad de vida silvestre, en pocos metros cuadrados se encuentran cientos de especies vegetales con delicadas flores de muchos colores, cóndores, lobos, conejos, aves, etc.

On a clear summer day, from the summit of Cruz Hill, we have an idea of the road that should be followed towards the eastern Ecuador. Taking the highway that leads to Cumbayá, Tumbaco, Pifo, Papallacta and Baeza, approximately an hour and a half from Quito, you arrive to the area known as "los páramos de la Virgen" (The virgin's moors). The southern entrance of the Cayambe Coca Reserve, at 4,100 m, is the highest point of any Ecuadorian highway. From this point we have a spectacular view of almost all the mountains of the Ecuadorian Andes, from Chimborazo to the south, to Chilis in the north. During this journey we can enjoy beautiful rock formations, Andean forests and sprinklings of lakes of different sizes and varying altitudes. In addition, like all the Andean moors, the variety of wild life is immense, in just a few square meters you can find hundred of species of plants with delicate flowers of many colors, as well as condors, wolves, rabbits and birds.

An einem klaren Sommertag, vom Gipfel des Cruz Loma aus, kann man sich leicht die Verkehrswege vorstellen, die zum östlichen Ecuador führen. Wenn man von Quito aus die Straße in Richtung Cumbaya, Tumbaco, Pifo, Papallacta und Baeza fährt, gelangt man nach etwa anderthalb Stunden zu einem Gebiet, das als die "Páramos de la Virgen" (Paramos der Jungfrau) bekannt ist.
Der südliche Eingang der Cayambe-Coca-Reserve, auf 4.100 m, ist der höchste Punkt aller ecuadorianischer Landstraßen. Von hier aus haben wir einen herrlichen Blick auf fast alle Berge der ecuadorianischen Anden, vom Chimborazo im Süden bis zu den Chilis im Norden.
Auf unserer Reise lassen uns die Blicke auf schöne Felsformationen, die für die Anden typischen Wälder und auf große und kleinere blaue Flecken in der Landschaft nicht los. Diese Flecken sind Seen, die in unterschiedlichen Höhenlagen entstanden sind. Darüberhinaus ist, wie bei allen Paramos, die Vielfalt des wilden Lebens immens. Auf nur wenigen Quadratmetern kann man hunderte von Pflanzen mit zarten Blüten in vielen Farben finden, so wie auch in dieser Gegend Kondore, Wölfe, Hasen und Vögel.

Desde el Pichincha, otra vista parcial de Quito, la zona centro, los barrios de La Gasca, El Ejido, Vicentina, Monjas; al centro el cerro Ilaló y al fondo la cordillera Oriental con el Antisana.

From Pichincha mountain, we enjoy another view of Quito, the "old town", neighborhoods La Gasca, El Ejido, Vicentina and Monjas; in the center, Ilaló hill and at the back, the Cordillera Oriental (Eastern mountain range) with Antisana.

Vom Pichinchamassiv aus aufgenommen, hier eine andere Teilansicht von Quito: die Innenstadt und die Wohngebiete von La Gasca, El Ejido, Vicentina und Monjas. In der Bildmitte liegt der Berg Ilaló und im Hintergrund die östliche Bergkette mit dem Antisana.

Peñas Blancas es un conjunto de rocas que se puede ver desde la carretera que conduce a Papallacta, que es la puerta norte de entrada al Oriente ecuatoriano o Amazonia.

The Peñas Blancas is a group of rocks that can be seen from the highway, that leads to Papallacta, which is the northern entrance from Quito to the Amazonia.

Peñas Blancas ist eine Ansammlung von Felsen, die man, von Quito kommend, auf der linken Seite der Straße nach Papallacta sehen kann. Dieser Ort stellt den nördlichsten Zugang zum Oriente (also dem östlichen Ecuador) und dem Amazonasquellland dar.

La Reserva Ecológica Cayambe Coca de 403.103 ha se extiende en cuatro provincias, la zona montañosa en Pichincha e Imbabura y las zonas bajas en Napo y Sucumbíos. Desde este mirador se pueden realizar caminatas por el páramo a varias lagunas de esta zona y llegar a Papallacta.

The Cayambe Coca Ecological Reserve, at 403,103 hectares, stretches through four provinces, the mountainous areas of Pichincha and Imbabura and the lowland areas of Napo and Sucumbíos. From this point we can make walking through the barren plateau to several lakes in the area before arriving to Papallacta.

Das Naturschutzgebiet Cayambe-Coca (403.103 ha) erstreckt sich über vier Provinzen, nämlich über die gebirgischen Landstrecken von Pichincha und Imbabura und die tiefer gelegenen Gebiete in Napo und Sucumbios.
Von diesem Aussichtspunkt aus kann man Wanderungen durch den Páramo, vorbei an verschiedenen Seen, durchführen und schließlich nach Papallacta gelangen.

Un complejo sistema lacustre que comprende alrededor de 70 lagunas, forma el humedal más importante para la provisión de agua para la capital.

A complex system of around 70 lakes constitutes the most important wetlands for the provision of water for the capital.

Eine komplexe Seenplatte mit etwa 70 Lagunen bildet die bedeutendste Reserve für die Versorgung von Quito mit Trinkwasser,

Después de caminar algunas horas en los "los páramos de la Virgen" de la
Reserva Cayambe Coca, la
tarde se despide con un
luminoso Antisana 5.758 m.

After walking for some
hours through The Virgen
wilderness (páramos) in
Cayambe Coca Reserve,
the afternoon sets with a
shining Antisana, 5,758 m.

Nach einem mehrstündigen Spaziergang in den
"Páramos der Jungfrau" im
Schutzgebiet Cayambe-
Coca verabschiedet sich
der Tag mit einem strahlenden Antisana, 5758 m.

Los cultivos andinos aportan al paisaje; este campo de nabos con flores amarillas da la sensación de una zona iluminada por el sol. En el camino a la Reserva Ecológica Antisana, tenemos algunos de estos parajes.

Andean Crops contribute to the beuty of the landscape. This field of turnips with yellow flowers gives the sensation of an area illuminated by the sun. Such places are found on the route to the Antisana Ecological Reserve.

Die Landwirtschaft in den Anden trägt zur Schönheit der Landschaft bei. Dieses Zuckerrübenfeld vermittelt mit seinen gelben Blüten das Gefühl einer von der Sonne erleuchteten Fläche. Auf dem Wege zum Naturschutzgebiet Antisana können wir mehrere solcher Eindrücke erleben.

El pico sur del volcán
Antisana se asoma por unos
momentos entre las nubes
que lo esconden todo el día.

The southern peak of the
Antisana volcano appears for
a few moments among the
clouds that are hidding the
whole day.

Die Südspitze des Vulkans
Antisana lässt sich für einen
Moment zwischen den
Wolken erblicken, die ihn
sonst den ganzen Tag
bedecken.

Zona norte de Quito, sector
de La Carolina, El Batán y el
Parque Metropolitano, al
fondo el volcán Cayambe
nuestro siguiente destino.

The northern area of Quito:
La Carolina, El Batán and the
Metropolitan Park. At the back
is Cayambe volcano, our next
destination.

Im Norden von Quito: der
Park La Carolina, El Batán und
der Metropolitano-Park; im
Hintergrund der Vulkan
Cayambe, der unser nächstes
Ziel ist.

En el cantón Cayambe, agrícola por excelencia, se producen flores para exportación, cebollas, granos y papas, también lácteos y carnes, los famosos bizcochos hechos de harina de trigo, que se sirven con chocolate caliente y queso de hoja.

In the Cayambe county, which is a famous agricultural area. There are flowers, which are produced for export, also there are onions, grains and potatoes, as well as dairy products and meats. The famous biscuits, which are cakes made of wheat flour, are served with hot chocolate and soft cheese.

Der Landkreis Cayambe ist wegen seiner Landwirtschaft bekannt. Hier werden Blumen für den Export angebaut. Zwiebeln, Getreide, und Kartoffeln gehören genauso zum Spektrum der Produktion wie Milch und Fleischerzeugnisse. Hier werden auch die bekannten Kekse aus Weizenmehl (bizcochos) hergestellt, die man mit heißer Schokolade und ausgewalztem Käse serviert.

El volcán activo Cayambe de 5.790 m es otro destino de andinistas; se recomienda un vehículo 4x4 para llegar hasta el refugio Ruales-Oleas-Berger a 4.700 m donde se puede descansar y dormir, antes de ascender a la cima; desde aquí se tiene una vista de su cumbre máxima, del refugio y del Glaciar Hermoso.

The active volcano Cayambe, at 5,790 meters over sea level, is another destination for Andean mountain climbers. A 4x4 vehicle is recommended for the journey to the Ruales-Oleas-Berger refuge at 4,700 m, where it is possible to rest and sleep, before climbing to the summit. From here one has a view of Cayambe's highest summit, the refuge and of Glaciar Hermoso (Beautiful glacier).

Der Vulkan Cayambe (5790 m) ist ein weiteres Ziel für Bergsteiger. Es wird empfohlen, ein geländegängiges Fahrzeug zu benutzen, um zur Ruales-Oleas-Berger-Herberge (auf 4.700 m) zu gelangen. Dort kann man ausruhen oder auch schlafen, bevor man zur Spitze weitersteigt. Von der Berghütte aus hat man einen Blick auf den höchsten Punkt des Cayambe und den Gletscher Hermoso.

Nevó toda la noche, pero al
día siguiente tuvimos este
espectáculo blanco como de
rompope con pasas.

It snowed the whole night,
but the following day we
were delighted with the
white snow spectacle like
eggnog.

Es hat die ganze Nacht ge-
schneit, aber am nächsten
Tag hatten wir dieses weiße
Schauspiel vor uns, wie
Eischnee.

Hacia el oriente, desde el Cayambe, podemos ver al Saraurco, 4.677 m y las estribaciones de la Cordillera Oriental.

Towards the east, from Cayambe, we can see "Saraurco Mountain", at 4,677 m over sea leve, and the foothills of the Cordillera Oriental (Eastern Mountain Range).

Vom Cayambe aus, Richtung Osten, können wir den Saraurco (4677 m) und die Ausläufer der östlichen Bergkette sehen.

El eucalipto, una especie intro-
ducida a principios de siglo XIX,
se ha convertido en uno de los
árboles más cultivados en el
país; aquí lo tenemos, formando
un túnel vivo, al borde de la
carretera Panamericana Norte,
saliendo de la ciudad de
Cayambe.

The eucalyptus, a species introduced at the beginning of the
19th century. It has become
one of the most cultivated trees
in the country. Here we have it
forming a living tunnel on the
edge of the northern Pan-
American Highway, leaving the
city of Cayambe.

Eukalyptus wurde zu Beginn des
XIX. Jahrhunderts eingeführt. Er
gehört zu den in Ecuador meist
angebauten Baumarten. Hier
bilden die Bäume einen leben-
digen Tunnel, am Rande der
Panamericana Norte, auf der
Höhe der Ausfahrt von der
Stadt Cayambe.

Seguimos camino a la provincia de Imbabura, situada al norte de Pichincha; es también conocida como de Los Lagos por sus grandes lagunas como San Pablo, Cuicocha, Yaguarcocha, entre las más visitadas. En estos sitios se ofrecen muchos y buenos servicios turísticos.

También están las lagunas de San Marcos, Puruanta, Piñán, un poco más alejadas y silvestres.

En esta provincia se encuentra el pueblo otavaleño que conserva sus tradiciones culturales, su habilidad comercial y productividad textil. En el centro de la ciudad de Otavalo se halla además uno de los mercados artesanales indígenas más importantes de América: la Plaza de Ponchos.

We continue the route to the province of Imbabura located at the north of Pichincha province; which is also known as 'The Lakes'' due to its large lagoons such as the very touristic San Pablo Lake, Cuicocha, and Yaguarcocha. The services offered at these sites include aquatic sports, walks and horse riding, and of course, a variety of national and international food. Other lakes of Imbabura Province are San Marcos, Puruanta and Piñán, which are wilder and more apart.

In the province of Imbabura we found the Otavalan people, who have preserved their cultural traditions, their commercial and trading ability and their textile production. Located at the center of the city of Otavalo, it is one of the most important indigenous craft markets in America, la Plaza de Ponchos.

Wir setzen den Weg fort in die Provinz Imbabura, die im Norden der Provinz Pichincha liegt. Diese Gegend ist auch bekannt als „Los Lagos" (die Seen) wegen ihrer großen Lagunen, so etwa der touristisch erschlossene San Pablo-See, Cuicocha und Yaguarcocha. Das Freizeitangebot an diesen Standorten ist vielfältig: Wassersport, Wandern und Reiten. Natürlich werden auch viele einheimische und internationale Gerichte angeboten. Andere Seen, wie San Marcos, Puruanta und Piñan, sind weiter entfernt und noch vollkommen naturbelassen.

In der Provinz Imbabura leben die Otavalo-Indianer, die ihre kulturellen Traditionen bewahrt haben. Berühmt sind ihre Geschäftstüchtigkeit und ihre Textilproduktion. In der Stadtmitte von Otavalo liegt einer der größten Märkte Amerikas für Kunsthandwerk (Plaza de Ponchos).

El maíz es uno de los principales productos agrícolas de los otavaleños y se encuentra sembrado en casi todas las parcelas de la comunidad.

Maize is one of the main agricultural products of the Otavalan people and there are crops of it all over the community fields.

Mais gehört zu den wichtigsten landwirtschaftlichen Erzeugnissen der Einwohner von Otavalo. Pflanzungen von Mais sind in allen Anbauflächen der indigenen Volksgruppe präsent.

El "taita" Imbabura, cc
lago San Pablo a sus pies, e
volcán extinto de 4.630 m
sus alrededores, encontra
muchos sitios para visitar cc
San Pablo, La Rincon
Otavalo, el Parque Cón
Peguche y su casc
Atuntaqui, La Esperanza, Iba

Imbabura, with the L
San Pablo at its feet, i
extinct volcano at 4,630m c
sea level. In its surround
there are many places to
such as San Pablc
Rinconada, Otavalo, the Cor
Park, the Peguche wate
Atuntaqui, Esperanza
Iba

Der Berg Imbabura,
dem See San Pablo zu Fü
ist ein erloschener Vulkan (4
m). In der Umgebung gib
viele Sehenswürdigkeiten
San Pablo, La Rincon
Otavalo, den Condor-Park,
Peguche-Wasserfall, Atunta
Esperanza und Iba

En el mercado de Otavalo se puede encontrar una inmensa gama de tejidos que destacan por sus llamativos colores; sin duda, se termina comprando algo, pues los otavaleños son reconocidos comerciantes.

In Otavalo's market you can find a wide range of fabrics, which stand out due to their attractive colors. With no doubt you'll end up buying something because the Otavalans are famous merchants.

Auf dem Markt in Otavalo findet man eine breite Palette von Stoffen, die durch ihre attraktiven Farben hervorstechen. Ohne Zweifel wird man am Ende etwas erwerben, weil die Otavaleños gute Verkäufer sind.

Los collares de intermina-
bles vueltas de cuentas
doradas de vidrio.

Necklaces with endless cur-
ves of golden glass beads.

Halsketten mit endlosen
Schlingen goldener
Glasperlen.

Cotacachi, ubicada al pie del volcán del mismo nombre, es una pequeña ciudad reconocida por la artesanía del cuero y por sus tejidos, por su cultura indígena, su música y danza; además, por sus tradiciones, fiestas y rituales, en los cuales hombres y mujeres se visten con sus mejores trajes típicos para celebrarlos. También se puede disfrutar de la excelente comida regional preparada con los diversos cultivos andinos producidos en la zona.

La Reserva Ecológica Cotacachi Cayapas tiene una superficie de 204.420 ha, se extiende entre las provincias de Imbabura y Esmeraldas. Uno de los mayores atractivos es la laguna de Cuicocha cerca de la ciudad de Cotacachi. Se pueden realizar paseos en lancha alrededor de sus islas y una caminata de cinco horas circunvalando el borde del cráter (página siguiente).

Cotacachi, located at the foot of the volcano of the same name, is a small city known for its leather craftwork, its fabrics, its indigenous culture and for its music and dance. In addition, Cotacachi is known for its traditions, parties and rituals, that men and women celebrate by dressing up in their best traditional outfits. One can also enjoy the excellent typical food prepared with diverse Andean crops produced in the area.

The Cotacachi Cayapas Ecological Reserve has an area of 204,420 hectares; it extends between the provinces of Imbabura and Esmeraldas. One of the biggest attractions is Cuicocha Lake, near the city of Cotacachi. Boat trips can be taken around Cuicocha's islands, and a five hours walk around the border of the lake which is actually a crater (following page).

Cotacachi, gelegen am Fuße des Vulkans mit dem gleichen Namen, ist eine kleine Stadt, die für ihre Lederwaren, ihre Stoffe, ihre indigene Kultur, Musik und Tanz bekannt ist. Ihre Traditionen kommen in Festlichkeiten und Ritualen zum Ausdruck, bei denen Männer und Frauen ihre besten einheimischen Trachten tragen.

Man kann auch die ausgezeichneten typischen Gerichte genießen, die mit den verschiedensten Produkten der Anden-Gegend zubereitet werden.

Das Cotacachi-Cayapas-Reservat hat eine Fläche von 204.420 Hektar. Es erstreckt sich zwischen den Provinzen Imbabura und Esmeraldas. Eine der größten Attraktionen ist der Cuicocha-See, nahe der Stadt Cotacachi. Man kann dort Bootsfahrten um die Inseln im Cuicocha und eine fünfstündige Wanderung rund um den Rand des Sees machen, der eigentlich ein Krater ist (nächste Seite).

Volcán extinto Cotacachi de 4.944 m. Para su ascenso se necesita dos días, una buena preparación física y técnica para superar su empinadas pendientes de roca muy erosionada

The extinct Cotacachi volcano, at 4,944 meters over sea level. It climbing requires two days, and a good physical and technical prepa ration is needed to reach Cotacachi's eroded sheer rock slope

Der Cotacachi ist ein erloschener Vulkan (4944 m). Der Aufstie dauert zwei Tage, man braucht eine gute körperliche Verfassung un viel Technik um die steilen, stark erodierten Felsenhänge zu schaffen

La laguna de Cuicocha con sus islotes; a la izquierda, el Cotacachi; al fondo, el Imbabura y el Cayambe.

Cuicocha Lake and its islands; at the left, Cotacachi and at the back, Imbabura and Cayambe.

Der Cuicocha-See mit Inseln; auf der linken Seite der Cotacachi; im Hintergrund der Imbabura und Cayambe.

Con un apretón de manos nos despedimos de Imbabura, no sin antes darnos un saltito por los páramos del Ángel y sus desfiles de Frailejones (*Espeletia pycnophylla*).

With a handshake we say goodbye to Imbabura province, but first we stop by the bleak plateau called "The Angel" and enjoy the exotic vegetation parade (*Espeletia pycnophylla*).

Mit einem Handschlag verabschieden wir uns vom Imbabura, aber nicht bevor wir einen kleinen Sprung in den „Páramo del Ángel" machen und dort die exotische Parade erleben (Frailejones, *Espeletia pycnophylla*).

De apenas unos centímetros, este delicado colibrí Zamarrito pechinegro de colores brillantes y singular belleza contrasta con el majestuoso Cóndor de los Andes que alcanza hasta tres metros de envergadura.

With few centimeters big, this delicate hummingbird 'Zamarrito pechinegro' with brilliant colors and a singular beauty contrasts with the majestic Andean Condor, a bird which has wingspan that reaches the three meters.

Wenige Zentimeter groß, dieser zerbrechliche Kolibri "Zamarrito pechinegro" mit seinen brillanten Farben und seiner einzigartigen Schönheit im Gegensatz zum majestätischen Anden-Condor, einem Vogel, dessen Spannweite drei Meter erreicht.

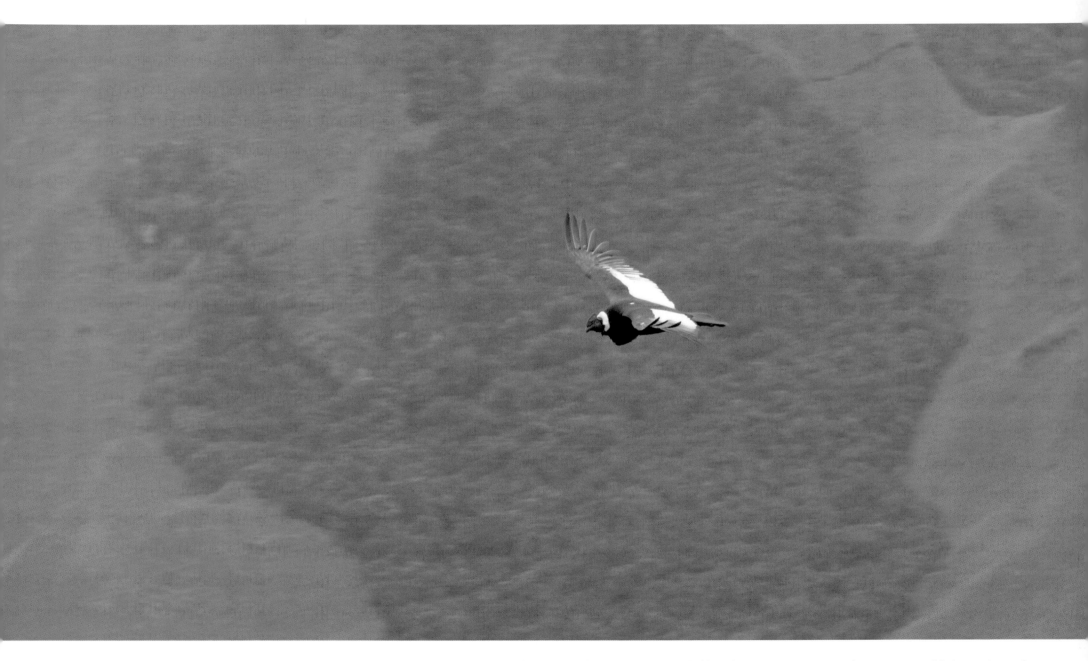

Un cóndor macho (*Vultur griphus*) recorre las lagunas de Mojanda, pasa a pocos metros de nosotros sacudiéndonos el corazón.

A male condor (*Vultur griphus*) travels though the lakes of Mojanda; it passes just a few meters away from us, making our hearts shake.

Ein männlicher Condor (*Vultur griphus*) macht seinen Rundflug über die Seen von Mojanda, nur wenige Meter an uns vorbei; unser Herz schlägt schneller!

Viajamos al sur hacia las provincias de Tunguragua y Chimborazo en busca de nuevas emociones como el volcán Tunguragua en erupción, la ciudad de Baños y sus alrededores, y el coloso de los Andes ecuatorianos, no solo por su altura sino por su belleza, el Chimborazo.

We travel to the South, towards the provinces of Tunguragua and Chimborazo, in search of new emotions such as the Tunguragua volcano in eruption, the city of Baños and its surroundings, and Chimborazo, the colossus of the Ecuadorian Andes, not just for its height but also for its beauty.

Wir fahren nach Süden in Richtung der Provinzen Tungurahua und Chimborazo auf der Suche nach neuen Erlebnissen: dem sich in Eruption befindenden Vulkan Tungurahua, der Stadt Baños und Umgebung und dem „Koloss der ecuadorianischen Anden" genannte Chimborazo, nicht nur wegen seiner Höhe, sondern auch wegen seiner Schönheit.

La Basílica de la Virgen de Agua Santa en Baños.

The Basilica of La Virgen de Agua Santa (The virgin of holy water) in Baños.

Die Basilika der Jungfrau von Agua Santa in Baños.

Una columna de humo arroja el volcán Tungurahua y se ilumina con los últimos rayos de sol.

Tunguragua volcano expels smoke and it shines with the sun's last rays.

Der Vulkan Tungurahua lässt eine Rauchsäule steigen und wird von den letzten Strahlen der Sonne beleuchtet.

La cascada El Pailón del Diablo alimenta al río Pastaza.

Waterfall "El Pailón del Diablo" (The devil's whirlpool) waters the river Pastaza.

Der Wasserfall "El Pailón del Diablo" (Teufelspott) speist den Pastaza-Fluss.

Tarabita que cruza el río Pastaza pasa junto a la cascada el Manto de La Novia.

The tarabita (a primitive cable car) that crosses river Pastaza passes next to the waterfall called "Manto de la Novia" (The bride's gown).

Eine primitive Seilbahn überquert den Pastaza und zieht am Wasserfall "Manto de la Novia" (Brautkleid) vorbei.

Una noche helada a 4.800 m en las faldas del Chimborazo.

A freezing night at 4,800 m over sea level, at the slopes of Chimborazo mountain.

Eine eiskalte Nacht auf 4800 m über dem Meeresspiegel, an den Hängen des Berges Chimborazo.

Un paseo en "ciclorriel" en las faldas del Chimborazo, estación Urbina; al fondo el Carihuarazo.

A trip on cycle path at the slopes of Chimborazo. Urbina station, Carihuarazo at the back.

Eine Reise auf Gleisen an den Hängen des Chimborazo, Urbina-Station; der Carihuarazo im Hintergrund.

Un atardecer cálido en las faldas del Chimborazo.

A warm evening at the slopes of Chimborazo mountain.

Ein warmer Abend an den Hängen des Chimborazo.

Tapices gigantes bordados por lo campesinos agricultores c Tungurahu

Giant tapestries embroidered by th county peasants of Tungurahu

Riesige Gobelins, von Bauern Tungurahua gestick

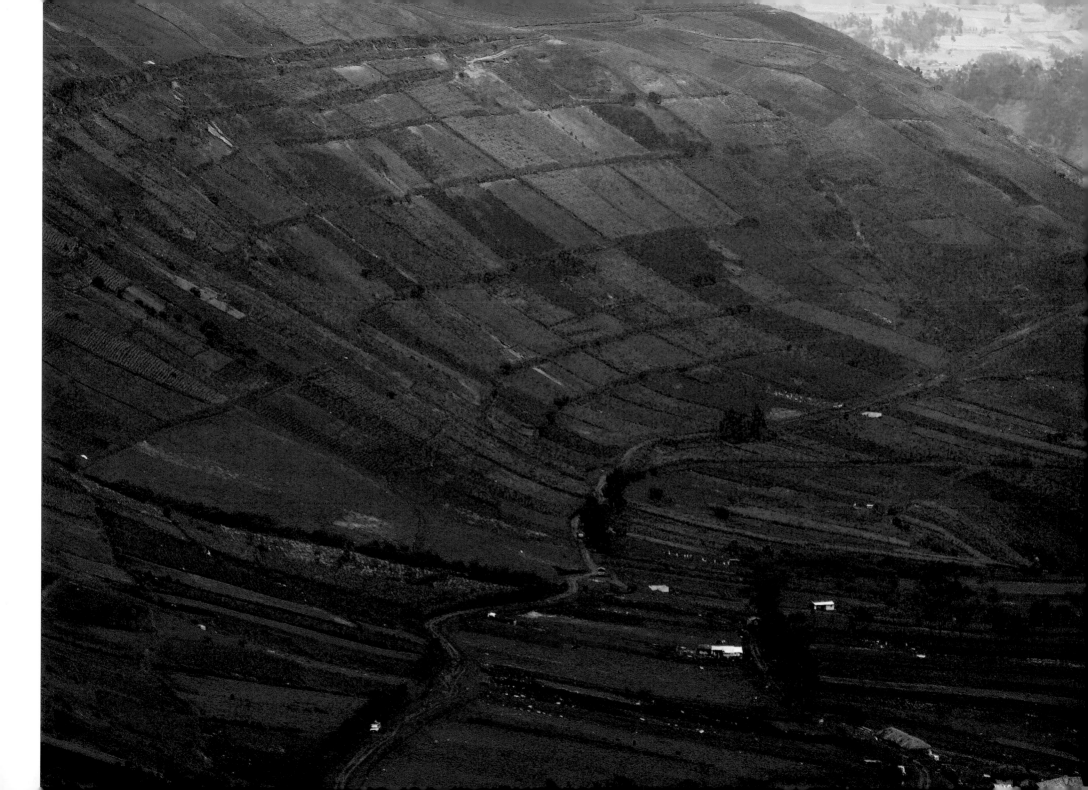

Vicuñas, perfectamente adaptadas al páramo frío, indecisas y cautelosas, cruzan la carretera Ambato-Guaranda del arenal del Chimborazo. En ocasiones, la nieve cubre completamente esta carretera.

Vicuñas, at their ease in the cold wilderness, hesitant and cautious crossing Ambato-Guaranda Highway, from Chimborazo's fields. Occasionally, the snow covers this highway completely.

Die Vikunjas, perfekt angepasst an die kalte Gegend, sind unentschlossen und vorsichtig. Hier überqueren sie die Straße Ambato-Guaranda im sandigen Boden des Chimborazo. Manchmal ist die Straße ganz von Schnee bedeckt.

No hay ruido ni viento ni nubes en el cielo, amanece todo congelado. ¡Hay tanta calma!

No noise, wind or clouds in the sky, everything is frozen at down. All is so calm!

Kein Lärm, kein Wind und keine Wolken am Himmel, ein gefrorenes Morgengrauen. Alles ist so ruhig!

Nada como los contrastes extremos: el Chimborazo asoma tras estos campos productivos.

There is nothing more amazing that the contrast between The Chimborazo mountain at the back of the productive fields.

Extreme Gegensätze: Der Chimborazo erscheint hinter diesen produktiven Feldern.

Llevar la leche recién ordeña-
da para el desayuno implica
una caminata de una hora.

To bring milk just fresh for
breakfast requires one hour
walking.

Frischgemolkene Milch fürs
Frühstück erfordert eine
Stunde zu Fuß.

Corremos por la carretera Riobamba-Guaranda para disfrutar de los últimos rayos del sol pintando al Chimborazo y Carihuairazo.

We run through Riobamba-Guaranda Highway to enjoy the last sun rays couloring Chimborazo and Carihuairazo mountains.

Wir rasen über die Riobamba-Guaranda-Straße um die letzten Sonnenstrahlen zu erwischen, die den Chimborazo und den Carihuairazo erleuchten.

El hermoso, el coloso, el Chimborazo con nieve fresca nos deleita toda la mañana (página siguiente).

The beautiful and majestic Chimborazo with fresh snow delights us the whole morning (following page).

Der schöne und majestätische Chimborazo, mit frischem Schnee bedeckt, erfreut uns den ganzen Vormittag (nächste Seite).

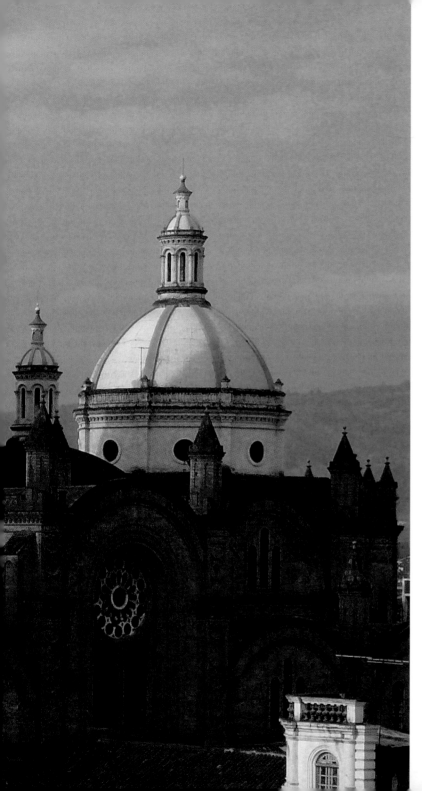

Santa Ana de los Ríos de Cuenca es la tercera ciudad de la Sierra en tamaño e importancia. Su centro histórico fue declarado por la UNESCO como Patrimonio Cultural de la Humanidad. Su gente se ha caracterizado siempre por sus habilidades en orfebrería, cerámica y bordados en tela; sobresalen los artesanos tejedores de sombreros de paja toquilla, la industria textil y del cuero. Es, además, una ciudad moderna que cuenta con tecnología de punta en comunicaciones, buen sistema financiero y bancario, cyber cafés, bares, discotecas, moderna infraestructura hotelera, restaurantes de todo tipo, etc.

Uno de sus principales atractivos naturales es el Parque Nacional Cajas, que se encuentra ubicado al occidente de la ciudad de Cuenca a 20 km. El Parque tiene una superficie de 28.544 ha. La altitud mínima es de 3.150 m en Llaviuco y la máxima de 4.450 m en el Cerro Arquitectos. Se pueden realizar caminatas, acampar, escalada en roca, pesca deportiva, ciclismo de montaña, fotografía y observación de aves.

"Santa Ana de los Ríos de Cuenca" is the third most important city of the Highlands and the third also in size. Cuenca's historic center has been declared by UNESCO as a cultural world heritage site. Its people have always characterized for their expertise in gold and silver works, ceramics and embroideries. The hats and shawls woven by artisans, and the textile and leather industries are outstanding. Cuenca is also a modern city that boasts the latest communications technology, good financial and banking systems, cyber cafes, bars, discos, a modern hotel infrastructure, and all types of restaurants.

One of Cuenca's main natural attractions is the Cajas National Park, which is located 20 km at the west side of the city. The Park has an area of 28,544 hectares. The park's minimum altitude is 3,150 m at Llaviuco, and its maximum altitude is 4,450 m at Cerro Arquitectos (Architects Hill). Walking, camping, rock climbing, fishing, mountain biking, photography, and bird watching can be practiced in the area.

Santa Ana de los Ríos de Cuenca ist die drittgrößte und -wichtigste Stadt der Sierra. Die Altstadt wurde von der UNESCO zum Kulturerbe der Menschheit erklärt. Die Einheimischen dort sind seit jeher für ihre Keramik und Stickereien auf Stoff und auch für ihre Fähigkeiten in der Metallbearbeitung (Gold und Silber) bekannt. Die von Handwerkern gewebten Hüte und Schals und die Textil- und Lederindustrie sind hervorragend. Cuenca ist auch eine moderne Stadt mit guter Kommunikationstechnologie, einem guten Finanz- und Bankensystem, Internet-Cafés, Bars, Diskotheken, einer modernen Infrastruktur von Hotels und Restaurants aller Art.

Eine der Hauptattraktionen ist der Cajas-Nationalpark, der 20 km westlich von der Stadt Cuenca entfernt liegt. Der Park umfasst eine Fläche von 28.544 Hektar und hat einen Höhenunterschied von 3150 m in Llaviuco bis 4450 m auf dem Cerro Arquitectos. Man kann dort wandern, campen, klettern, Fliegenfischen betreiben und Mountainbike fahren. Der Park ist ideal für Fotografie und Vogelbeobachtung.

La Catedral de la Inmaculada Concepción o Nueva Catedral es una de las más grandes de Sudamérica.

The Catedral de la Inmaculada Concepción (Cathedral of the Immaculate Conception) or Nueva Catedral (New Cathedral) is one of the biggest in South America.

Die Kathedrale „de la Inmaculada Concepción" (zur Heiligen Empfängnis) oder Nueva Catedral (Neuer Dom) ist eine der größten in Südamerika.

La Catedral Nueva en la noche se ilumina de este tono azulado que contrasta con su color ladrillo durante el día.

At night the New Cathedral is illuminated in a blue tone in contrast with its bricked color during the day.

Nachts wird die Neue Kathedrale in einem Blauton beleuchtet, im Kontrast zu seiner Ziegelfarbe während des Tages.

Todos los jueves hay fiesta en las calles de Cuenca; castillos y música, en esta esquina típica de la ciudad morlaca.

Every Thursday there is party in the streets of Cuenca; fireworks and music in this typical corner of the city.

Jeden Donnerstag gibt es eine Party in den Straßen von Cuenca, mit Feuerwerk und Musik an dieser typischen Straßenecke.

Existen pequeños bosques de
polylepis dispersos dentro del
Parque Nacional Cajas.

There are small forests of
polylepis spread inside the
Cajas National Park.

Im Cajas-Nationalpark finden
wir kleine Wälder von
Polylepis.

A orillas de la laguna Toreadora,
pastan llamas que han sido
introducidas y son parte del
atractivo de esta zona.

The llamas graze on the sides
of Lake Toreadora. These have
been introduced in the fields
and are now the attraction of
the zone.

Die Lamas grasen an den Ufern
des Toreadora-Sees. Diese
Lamas wurden dort eingeführt
und sind jetzt die Attraktion
der Zone.

Zaruma es una encantadora ciudad enclavada en las montañas a unos 1.200 m de altura en la provincia de El Oro. Su clima templado, más bien cálido, sus pintorescas casas de madera de principios de siglo XX y su paisaje montañoso hacen de éste un lugar encantador.

Zaruma is a charming city located in the mountains at 1,200 m over sea level, located in the province of El Oro. The temperate climate, nice and warm, the colorful wooden houses dating from the beginning of the 20th century, and its mountainous landscape make it a charming place.

Zaruma ist eine bezaubernde Stadt in den Bergen, 1200 m über dem Meeresspiegel, in der Provinz El Oro gelegen. Sie begeistert mit ihrem gemäßigten Klima, den bunten Holzhäusern aus dem frühen 20. Jahrhundert und der bergigen Landschaft.

Fachada principal de El Santuario de la Virgen del Carmen de Zaruma, coronada por la luna,

Main facade of "El Santuario de la Virgen del Carmen de Zaruma", crowned by the moon

Hauptfassade des "El Santuario de la Virgen del Carmen de Zaruma" (Heilige Stätte der Jungfrau von Zaruma). Hier sehen wir sie vom zunehmenden Mond gekrönt

y su interior iluminado por luz natural nos muestra sus finos y coloridos detalles.

and its inside is illuminated by natural light, whichshows us its fine and colored details.

und ihre Innenseite von natürlichem Licht beleuchtet, So erkennt man genau ihre feinen und farbigen Details.

La Costa
The Coast region / Die Küste

El Palacio Municipal sede de los gestores de la regeneración urbana: el Alcalde y su Concejo.

The Mayor's House is the headquarters of architectual urban development: The Mayor and his Council.

Das Rathaus ist der Sitz der politischen Verantwortlichen für die Stadtentwicklung: Bürgermeister und Stadtrat.

uayaquil a orillas del río
uayas.

uayaquil is located on the
anks of Guayas river.

uayaquil liegt am Ufer des
usses Guayas.

Monumento al Mariscal
Antonio José de Sucre.

The monument of Marshal
Antonio José de Sucre.

Das Monument für Marschall
Antonio José de Sucre.

El Parque Histórico de
Guayaquil rescata algo de
las tradiciones de principios
de siglo.

The Historical Park of
Guayaquil rescues some of
the traditions of the last
century.

Der Historische Park von
Guayaquil bewahrt einige
der Traditionen des letzten
Jahrhunderts.

Después de recorrer parcialmente la Sierra, cambiamos de rumbo hacia la Costa en busca de calor, descanso y mariscos. Primera parada: Santiago de Guayaquil, fundada el 25 de julio de 1538; es la ciudad más poblada de Ecuador, con un estimado de 3.300.000 habitantes. Es la capital de la Provincia del Guayas, se encuentra localizada en la margen occidental del río Guayas. Las últimas administraciones municipales han remodelado y ampliado malecones, plazas, parques, convirtiéndola en un destino turístico y comercial nacional e internacional. La región donde se ubica tiene suelos muy fértiles que permiten una abundante y variada producción agrícola y ganadera. Los que más se destacan son banano, cacao, arroz y azúcar.

After a short trip to the Highlands, we change direction towards the Coast in search of heat, rest and seafood. First stop is Santiago de Guayaquil, founded on July 25th 1538; it is the most populated city in Ecuador, with approximately 3,300,000 inhabitants. It is the capital of the province of Guayas, and it is located at the western side of Guayas River. The last Municipal administrations have remodeled and enlarged piers, squares, parks, transforming Guayaquil into a national and international tourist destination. The region where Guayaquil is located has very fertile ground that permits an abundant and varied agricultural production. The most important products are bananas, cocoa and rice.

Nach einem kurzen Ausflug ins Hochland ziehen wir weiter in Richtung Küste, auf der Suche nach Wärme, Ruhe und Meeresfrüchten. Die erste Station ist Santiago de Guayaquil, am 25. Juli 1538 gegründet, mit rund 3.3 Millionen Einwohnern im Großraum, die bevölkerungsreichste Stadt Ecuadors. Sie ist die Hauptstadt der Provinz Guayas und liegt an der Westseite des gleichnamigen Flusses. Die letzten Stadtverwaltungen haben Hafenanlagen, Plätze und Parks umgebaut und erweitert. Der Ausbau von Guayaquil hat es zum nationalen und internationalen Touristenziel gemacht. Auch hat die Region, in der sich Guayaquil befindet, einen sehr fruchtbaren Boden, der Grundlage für eine reiche und vielfältige landwirtschaftliche Produktion ist. Die wichtigsten Produkte sind Bananen, Kakao, Reis und Zuckerrohr.

El plan de regeneración urbana transformó al menos la cara de Guayaquil, convirtiéndolo de pueblo grande y sucio a ciudad moderna, elegante y acogedora.

Urban reconstruction plan transformed the face of Guayaquil, turning it from a big and dirty town into a modern, elegant, and enjoyable city.

Der städtebauliche Sanierungsplan hat das Gesicht von Guayaquil verwandelt und es von einem großen und schmutzigen Dorf zu einer modernen, eleganten und angenehmen Stadt gemacht.

Hemiciclo de la Rotonda en Guayaquil, con el monumento a los Libertadores de América: Simón Bolívar y José de San Martín.

La Rotonda Semicircle in Guayaquil, with the monument to America's Liberators: Simón Bolívar and José of San Martin.

Der Halbkreis der Rotonda in Guayaquil, mit dem Denkmal der Befreier (Libertadores) Amerikas: Simón Bolívar und José San Martín.

Los interiores del Palacio Municipal atraen las miradas de los más observadores.

The interior of the Mayor's House calls the attention of visitors.

Das Innere des Rathauses zieht Besucher an.

Un refrescante baño al atardecer, después de un caluroso viaje por la ruta del sol.

A refreshing bath at dusk after a hot trip through the route of the sun.

Ein erfrischendes Bad in der Abenddämmerung nach einer heißen Fahrt durch die Route der Sonne.

Poco antes de llegar a nuestro querido Mompiche, pasamos sobre el río Tigua en la frontera entre Manabí y Esmeraldas.

Aguas arriba (izquierda) y aguas abajo (derecha) a la misma hora el, mismo día.

Just before we get to our lovely Mompiche, we pass through river Tigua on the frontier between Manabí and Esmeraldas.

Upstream (left) and downstream (right) at the same hour on the same day

Kurz bevor wir zu unserem geliebten Mompiche gelangen, passieren wir den Fluss Tigua an der Grenze zwischen Manabí und Esmeraldas.

Stromaufwärts (links) und -abwärts (rechts) zur gleichen Zeit, am selben Tag.

Los niños son quienes más disfrutan del mar, a cualquier hora; correr y correr hasta el cansancio, jugar con las olas, buscar conchas, caracoles, cangrejos, construir castillos de arena hacen que el día sea corto.

Children are who enjoy more the sea at anytime of the day; they run with no rest, they play with the waves, look for shells, snails and crabs, and build sand castles, making the day short.

Die Kinder genießen das Meer am meisten, zu jeder Tageszeit. Sie rennen, sie spielen mit den Wellen, sie suchen Muscheln, Schnecken und Krebse, und sie bauen Sandburgen. So erscheint der Tag zu kurz.

La ilusión nos lleva a cualquier part

Illusion takes us everywher

Die Begeisterung bringt uns überall hi

El banano, cacao y arroz son los productos más representativos del agro ecuatoriano.

Bananas, cocoa, and rice are the most representing products of Ecuadorian agriculture.

Bananen, Kakao und Reis sind die Hauptprodukte der ecuadorianischen Landwirtschaft.

Cangrejo habitante del manglar.

The crab, an inhabitant of the swamp.

Der Krebs, ein Bewohner des Mangrovensumpfes.

El manglar convive con el mar, el hombre lo está destruyendo.

The swamp cohabits with the sea, but man is destroying it.

Die Mangroven leben vom Meer, aber der Mensch zerstört sie.

¡Qué textura! *Crocodylus acutus*,
caimán de la Costa

What a texture! *Crocodylus acutus*, an
alligator of the Coast.

Faszinierend! *Crocodylus acutus*, ein
Alligator aus der Küstengegend.

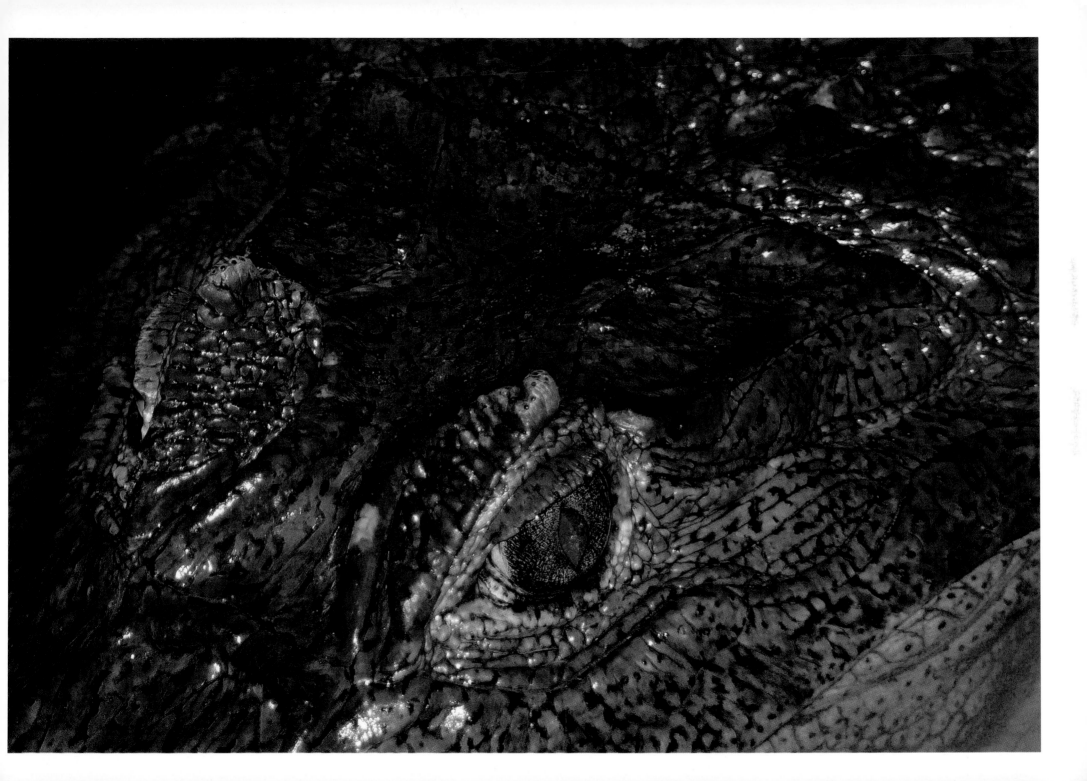

En el bosque seco de Manabí destacan los ceibos (*Ceiba trichistandra*); para unos mágicos, para otros embrujados.

In the dry forest of Manabí, the Ceiba trees (*Ceiba trichistandra*) stands out; for some, these trees are magical, for others, they are bewitched.

Die Ceibabäume (Ceiba trichistandra) im Trockenwald von Manabí. Für die einen sind diese Bäume magisch, für andere sind sie verhext.

Para aprender a surfear
nada como la ensenada de
Mompiche, hasta los más
pequeños disfrutan de las
suaves olas...

When learning to surf there
is nothing like Mompiche's
bay, that even the smallest
enjoy the soft waves...

Beim Surfen lernen gibt es
nichts Besseres als
Mompiche. Selbst die
Kleinsten können die
schmeichelnden Wellen
genießen ...

...como de cualquier cosa.

...like anything.

... wie alles andere.

Mompiche te cautiva...

Mompiche ovewhelms you...

Mompiche fängt einen ein…

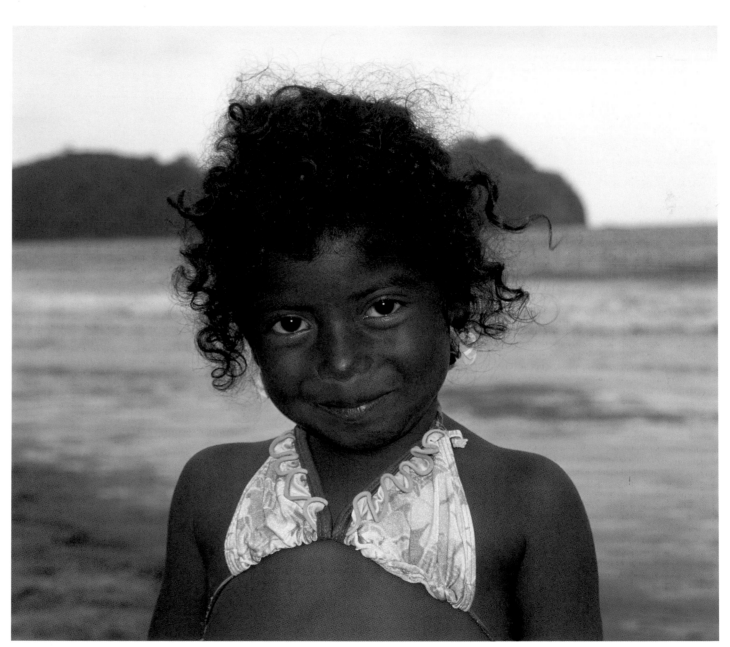

...como la sonrisa de una niña

... like a girl's smile

... wie das Lächeln eines Mädchens

Una de las playas más bellas
del país, y todavía poco visitadas. ¡Será nuestro secreto!

One of the most beautiful
beaches in the country, and
still not that much visited. It's
our secret!

Einer der schönsten Strände
des Landes, und noch nicht
überfüllt. Es ist unser
Geheimnis!

Estos peñascos de piedra caliza en Playa Escondida, poco a poco, se van desmoronando por la incansable acción del mar, en pocos años sólo quedará el recuerdo.

These boulders of limestone on Playa Escondida (Hidden Beach), are crumbling little by little due to the restless action of the sea, and in a few years only its remains will stay.

Diese Kalksteinfelsen an der Playa Escondida (Versteckter Strand), zerfallen allmählich als Folge der immerwährenden Brandung. In ein paar Jahren wird nur noch die Erinnerung daran bleiben.

Preparándose para salir a pescar: durante toda la noche se arroja la red para al día siguiente recoger unos cuantos peces.

Getting ready to go fishing: during the whole night the fishermen launch the net to pick up some fishes the following day.

Vorbereitungen zum Fischen: Während der ganzen Nacht werfen die Fischer die Netze, um am nächsten Tag einige Fische herauszuholen.

¡A mano!, se tejen cientos de metros de red cada día.

Hundreds of meters of net are knitted every day, by hand.

Hunderte Meter von Fischernetzen werden jeden Tag von Hand hergestellt.

Aquí nos despedimos de la Costa para planear otra aventura. Nos envuelve una cierta tristeza a la hora de partir...

Here we say goodbye to the Coast and plan another adventure. We are overwhelmed withcertain sadness as we leave the place...

Hier verabschieden wir uns von der Küste und planen ein weiteres Abenteuer. Etwas von Trauer überwältigt uns, weil wir den Ort verlassen müssen...

La Selva

The Jungle / Der Dschungel

Un corto viaje en descenso por las estribaciones de la Cordillera Oriental nos lleva a otro mundo, en donde se puede pensar que no hay otro lugar donde la abundancia de especies se manifieste como en la Amazonia; pues, cada espacio, aún el explotado, presenta su exuberancia: todo verde, árboles gigantes, flores raras y hermosas, orquídeas, heliconias, cientos de insectos y animales. ¡Sin lugar a dudas, la Amazonia es un lugar inmenso con inagotables recursos naturales, turísticos y de investigación científica!

A short trip down the foothills of the "Los Andes" East mountain range takes us to another world where one can appreciate that there is no other place with such an abundance of species like the Amazon area. Each space, even the exploited areas, shows its exuberance: everything is green, giant trees, exotic and beautiful flowers, orchids, butterflies, and hundreds of insects and animals. With no doubt, the Amazon is an large place with endless natural resources for tourists and for scientific investigation!

Eine kurze Reise in die östlichen Ausläufer der Andenkette führt uns in eine andere Welt. Hier kann man sehen, dass es keinen Ort mit einer solchen Vielfalt und Artenfülle gibt wie das Amazonasquellland.
Jeder Raum, auch die ausgebeuteten Gebiete, zeigt seine Fülle: alles ist grün, riesige Bäume, exotische und schöne Blumen, Orchideen, Schmetterlinge und Hunderte von Insekten und Tieren.
Ohne Zweifel ist der Amazonas ein Riesengebiet mit endlosen natürlichen Ressourcen, interesant für Touristen und für die wissenschaftliche Forschung.

Un joven Caoba alcanza ya unos 30 m de altura.

A young mahogany tree reaches 30 m hight.

Ein junger Mahagonibaum erreicht 30 m Höhe.

Cientos de cascadas nos
acompañan durante todo
el viaje; nos hacen pensar
en el potencial hidráulico
que tenemos.

Hundred of waterfalls
accompany us throughout
the trip and make us think
of its hydraulic power.

Hunderte von
Wasserfällen begleiten uns
während der Reise und
wir denken über das
Potenzial von Wasserkraft
nach, das wir besitzen.

Estas caídas se convierten
luego en hermosos rincones
turísticos, como el río Latas.

The waterfalls turns into
beautiful tourist spots like
the river Latas.

Die Wasserfälle verwandeln
sich bald in schöne touristi-
sche Attraktionen wie etwa
der Fluss Latas.

Las heliconias con sus vivos colores brillan en el verdor de la selva,
y las hormigas disfrutan de sus
néctares.

The heliconias (exotic plants) with
their lively colors shine in the
amishty forest, and the ants enjoy
their nectars.

Die Helikonien mit ihren lebhaf-
ten Farben glänzen in der Grüne
des Urwaldes. Die Ameisen
genießen ihren Nektar.

Cientos de lianas cuelg
de las copas de los árbo
formando jaulas gigant

Hundred of vines ha
from the treetops form
giant cag

Hunderte von Lianen hä
gen von den Wipfeln d
Bäume und bilden riesi
Käfig

El Yaguarundí

Un gran chupete para las hormigas.

Wie ein großer Lutscher für Ameisen.

A giant lollipop for ants.

El río Napo, en ocasiones muy turbulento, es una de
las vías de acceso al corazón de la Amazonia.

Napo river, sometimes very turbulent, is one of the
access routes to the heart of the Amazon.

Der Napo-Fluss, manchmal sehr turbulent, ist einer
der Zugangswege zum Herzen des Amazonas.

Las mariposas son
inspiración para
diseñadores.

Butterflies are an
inspiration for
artists.

Schmetterlinge
sind eine
Inspiration für
Designer.

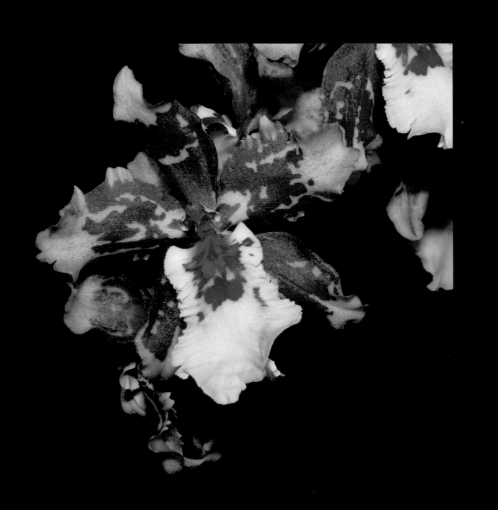

Estas mariposas toman las lágrimas de los ojos de las tortugas por su sal.

These butterflies drink the tears from the eyes of the turtles to get the salt from it.

Wegen des darin enthaltenen Salzes trinken diese Schmetterlinge die Tränen aus den Augen der Schildkröten.

Los guacamayos vestidos para el carnaval durante todo el año; sus picos son verdaderas cizallas para romper las semillas más duras.

Macaws dress up for carnival during the whole year; their beaks are shears that break the hardest seeds.

Diese Papageienart ist das ganze Jahr über für den Karneval gekleidet. Ihre Schnäbel sind wie Scheren, die die härtesten Samen brechen können.

Guacamayo rojo y verde, *Ara clhoroptera*

A red and green Macaw (*Ara chloroptera*)

Ein rot-grüner Papagei (hier ein *Ara chloroptera*)

Guacamayo azul y amarillo, *Ara ararauna*

A blue and yellow Macaw (*Ara ararauna*)

Ein blau-gelber Ara (*Ara ararauna*)

Un pequeño rayo de luz
se filtra entre las hojas
de los árboles.

A small ray of light filters
through the leaves of
the trees.

Ein kleiner Lichtstrahl
dringt durch die Blätter
der Bäume.

¿Coincidencia o realmente este reptil se protege del sol?

Is it a coincidence, or is that this reptile really protects itself from the sun?

Ist es ein Zufall oder sucht dieses Reptil wirklich Schutz vor der Sonne?

Delicados detalles, emoti-
vas imágenes nos deja este
cortísimo recorrido por
esta inmensa selva.

This short journey in the
immense forest leaves
remembrances of delicate
details and emotive images.

Diese kurze Reise durch
den unermesslichen
Urwald vermittelt uns blei-
bende Eindrücke und
Bilder.

Vuelvan pronto di
el Jagu
(*Panthera onca*)
felino más grande
Améri

Return soon says th
Jaguar (*Panthe*
onca), the biggest fe
ne in Americ

Kommt bald zurüc
sagt der Jagu
(*Panthera onca*), d
größte Raubkatz
Amerika

Algo sobre el autor:

Patricio Hidalgo se ha metido en la fotografía desde el año 2005. Es una de sus pasiones y todavía es y se siente un principiante. Pero más que fotógrafo, es una persona que trata de disfrutar al máximo de lo que Ecuador, su país, le ofrece. Lo que ha logrado capturar para la eternidad, a través de su cámara fotográfica, lo comparte con ustedes en este libro. Piensa que cada rincón de Ecuador tiene su encanto y puede ser mostrado en miles de imágenes que las seguirá presentando en futuros libros. Actualmente, trabaja en artes gráficas en su propia empresa Hojas y Signos, y ha tratado de aprender bien su oficio para presentar un libro de calidad producido íntegramente por sí mismo.

Quiteño, de la leva del 62, estudió y se graduó de Bachiller en el Colegio Nacional Mejía de la ciudad de Quito. Obtuvo el título de Ingeniero Mecánico en la Escuela Politécnica Nacional para luego dedicarse a las artes gráficas. Ha diseñado y diagramado varios libros como *Ecuador en imágenes* de su amigo Alois Speck, *Marvellous Ecuador* de Fabián Borrero y revistas como *Nuestra Ciencia* que va por su 10.ª edición; además, produce postales, calendarios y afiches. Tiene dos hijos: Martín del 94 y Ulises del 98. Ellos son sus compañeros inseparables en todas sus aventuras, caminatas, viajes, campamentos.

Something about the author:

Patricio Hidalgo has been practicing photography since 2005. It is one of his passions but he still feels like a beginner. But more than just a photographer, he is a person who tries to take maximum enjoyment from what his country, Ecuador, has to offer. In this book, he wants to share with you what he has succesfully captured for eternity with his camera. He thinks that each corner of Ecuador has its charm and can be shown in thousands of images, to be exhibited in future books. At the moment, he works in graphic arts for his own company 'Hojas y Signos', and has been dedicated to learn well this art, in order to create high quality material produced by himself.

Born in Quito in 1962, he studied at Nacional Mejía High school in the city of Quito. He obtained a degree in Mechanical Engineering from The National Polytechnic School "Escuela Politécnica Nacional" and later devoted himself to graphic arts. He has designed and illustrated several books such as "Ecuador en imágenes" (Ecuador in pictures) by his friend Alois Speck, "Marvelous Ecuador" by Fabián Borrero and magazines such as "Nuestra Ciencia" (Our Science), that published its 10th edition. In addition, he produces postcards, calendars and posters. He has two children: Martín, born in 1994 and Ulises, born in 1998. They are his inseparable companions for all his adventures, walks, trips and camping expeditions.

Etwas über den Autor:

Patricio Hidalgo widmet sich erst seit 2005 der Fotografie. Es ist eine seiner Leidenschaften, aber er ist und fühlt sich immer noch wie ein Anfänger. Mehr als nur ein Fotograf ist er ein Mensch, der größtmögliche Freude aus dem schöpft, was Ecuador zu bieten hat. In diesem Buch möchte er mit dem Leser und Betrachter teilen, was er mit seiner Kamera mit Erfolg für die Ewigkeit eingefangen hat.

Er denkt, dass jede Ecke von Ecuador ihren Reiz hat und in Tausenden von Bildern gezeigt werden muss. Das jedoch überlassen wir den nächsten Büchern. Im Moment arbeitet er im eigenen graphischen Betrieb, „Hojas y Signos", und strebt eine Qualifikation an, die es ihm ermöglicht, sein eigenes Bildmaterial mit einem hohen Qualitätsstandard zu veröffentlichen.

Geboren in Quito im Jahr 1962 hat er dort zunächst das Nacional-Mejía-Gymnasium besucht. Er besitzt einen Abschluss als Maschinenbauingenieur der Polytechnischen Hochschule und hat sich später im Leben mit dem graphischen Gewerbe als Ausdrucksform befasst. Er hat etliche Bücher entworfen und illustriert wie „Ecuador en imágenes" (Ecuador in Bildern) von seinem Freund Alois Speck oder „Marvelous Ecuador" von Fabián Borrero. Auch Zeitschriften wie „Nuestra Ciencia" (Unsere Wissenschaft), jetzt schon im 10. Jahrgang, sowie Postkarten, Kalender und Poster gehören zu seiner breiten Produktionspalette.

Er hat zwei Söhne: Martin, geboren 1994, und Ulises geboren 1998. Sie sind die unzertrennlichen Begleiter bei allen seinen Abenteuern, Wanderungen und Expeditionen.

Fotografía y textos en español / Photography and texts in Spanish / Fotografie und Texte in Spanisch: Patricio Hidalgo Pérez.
Revisión de textos en español / Revision of texts in Spanish / Revision der Texte in Spanisch: Dr. Alberto B. Rengifo A., María Eugenia Hidalgo, Alejandra Romoleroux.

Traducción de textos al inglés / Translation of texts to English / Übersetzung der Texte in die englische Sprache: Oliver Carrick.
Revisión de textos en inglés / Revision of texts in English / Revision der Texte in englischer Sprache: Paulina Ruiz Muriel.
Traducción de textos al alemán / Translation of texts to German / Übersetzung der Texte in die deutsche Sprache: Joana Wirsig
Revisión de textos en alemán / Revision of texts in German / Revision der Texte in deutscher Sprache: Enrique Novas
Diseño, diagramación y preprensa / Design, diagrams and preparation / Design, Diagrammation und Aufbereitung: Patricio Hidalgo Pérez

1ra edición octubre 2008
2da edición marzo 2011
ISBN-978-9942-01-859-5
N° Derechos de Autor: 029179
Ediciones Hojas y Signos, (593 2) 3319 298